reportage

LES ABORIGÈNES

texte de Jill Hughes

illustré par
Maurice Wilson

traduit de l'anglais par
Janine et Pierre Civet

Les premiers Australiens

Les premiers Australiens atteignirent le continent il y a au moins 40 000 ans. Venus d'Asie par mer à l'époque glaciaire, quand le niveau des océans était plus bas et qu'il était facile de passer d'île en île dans de petites embarcations, ils débarquèrent sur la côte nord de l'Australie; puis en plusieurs millénaires, ils progressèrent vers l'est, l'ouest et le sud. Le nom d'Aborigènes vient du latin *ab origine* qui signifie « depuis l'origine ».

Les Aborigènes vivaient de chasse, de pêche et de cueillette. Par petits groupes, ils se déplaçaient en quête de nourriture; ils connaissaient le feu, utilisaient des outils en os ou en pierre, construisaient des huttes d'écorce ou de bois mort. Cependant leur mode de vie présentait de légères différences selon qu'ils vivaient dans les fertiles régions côtières ou dans les déserts arides de l'ouest et du centre.

Isolés du reste du monde dans leur île immense, les Aborigènes ont vécu comme à l'âge de pierre pendant des milliers d'années. A part quelques commerçants venus de Macassar (île des Célèbes), qui apportèrent le fer et la pirogue sur la côte nord, ils n'eurent aucun contact avec le monde extérieur jusqu'au XVIe siècle. C'est alors que des explorateurs et des marchands européens découvrirent la Terra Australis, la terre australe. Au siècle suivant, des marchands hollandais

Indigène de Port Jackson
Tels étaient les Aborigènes que virent les premiers colons. Pour Cook, c'étaient de « nobles sauvages », vivant dans un paradis naturel. Pour d'autres, il s'agissait de bêtes sauvages que l'on pouvait exterminer sans hésitation.

La voie de la civilisation
Au XIXe siècle, des Blancs, surtout des missionnaires, essayèrent de « civiliser » les Aborigènes. Cette famille du sud-est de l'Australie paraît tristement mal à l'aise dans ses vêtements occidentaux.

la baptisèrent «Nouvelle-Hollande» et décrivirent les habitants comme des «diables noirs, sauvages et cruels»; ils ne dépassèrent pas les régions côtières et ne cherchèrent pas non plus à s'établir sur le continent.

En 1780 le lieutenant (plus tard capitaine) James Cook toucha la côte sud-est sur le vaisseau *Endeavour*. Il fut impressionné par la fertilité des terres et trouva la population accueillante. Loin de mépriser les «sauvages» Aborigènes, il estima qu'ils menaient une vie heureuse et naturelle. A la suite des rapports de Cook, le gouvernement britannique choisit la Nouvelle-Hollande pour y établir une colonie pénitentiaire. En 1788 les premiers colons et les premiers convicts arrivaient à Port Jackson (l'actuelle Sydney).

Les Aborigènes évitant les contacts avec les arrivants, le gouverneur Phillip dut faire enlever l'un d'entre eux pour acquérir quelque connaissance de la langue indigène. En avril 1789, des cadavres noirs flottaient dans le port; il s'agissait des victimes de la variole, maladie apportée par les colons. C'était un signe avant-coureur de ce qui attendait les Aborigènes au siècle suivant; ils furent expulsés de leurs territoires, pourchassés et abattus comme des bêtes, décimés par des maladies, forcés de se réfugier dans les régions les plus désolées et les plus hostiles du continent.

Les derniers Tasmaniens
Entre 1830 et 1840, il y avait environ 13 000 Aborigènes en Tasmanie. Certains résistèrent aux envahisseurs qui exercèrent des représailles en tuant et déportant de façon systématique. Le dernier Tasmanien d'origine purement aborigène était une femme, Truganina, qui mourut en 1869 à l'âge de 70 ans.

A qui appartient le pays ?
Les mœurs des premiers colons, surtout leur vie sédentaire, ont dû paraître bien étranges aux Aborigènes nomades quand les envahisseurs commencèrent lentement, mais sûrement, à s'approprier le pays.

Le passage au XXe siècle

Le gouvernement britannique stipula que les Aborigènes devaient être bien traités, mais il était presque impossible d'appliquer cette politique dans un rude pays de pionniers où les communications étaient difficiles, où la justice, sommaire, datait de l'époque des convicts. Les Aborigènes s'étaient d'abord montrés amicaux, mais — quand les colons, de plus en plus nombreux, vinrent s'établir sur leurs terrains de chasse et sur leurs sites sacrés — ils commencèrent à résister, massacrant le bétail et parfois aussi des Blancs. Pour les colons, ils étaient devenus des bêtes dangereuses face auxquelles on ne pouvait qu'employer la force. Le gouvernement britannique était à des milliers de kilomètres, le gouvernement local à des centaines de kilomètres, et l'histoire des Tasmaniens se répéta en d'autres régions du continent.

C'est seulement dans le dernier quart du XIXe siècle, quand l'Australie mit en place un système administratif plus organisé, que l'on commença à compatir aux malheurs des Aborigènes. On instaura des réserves, généralement sur des terrains pauvres ou désertiques; des missionnaires créèrent des établissements qui leur fournissaient gratuitement nourriture et vêtements. Grâce à cette politique de « protection », le nombre des Aborigènes cessa de diminuer au début du XXe siècle. Certes ils avaient disparu pour toujours de nombreuses régions mais, dans les déserts de l'ouest et du centre, ils continuèrent à mener leur vie nomade jusque vers 1950. C'est cette vie de la première moitié du XXe siècle, déjà influencée par la civilisation occidentale (utilisation de haches et couteaux métalliques) que l'on décrira plus loin. Nous en parlerons au présent, bien que les Aborigènes aient perdu, avec leurs territoires, une grande partie de leurs coutumes.

Contact avec les Européens
Au XIXe siècle, des missionnaires et des anthropologues cherchèrent à aider et à étudier les Aborigènes, mais avec la certitude inébranlable de leur propre supériorité morale et culturelle. Ils considéraient les Aborigènes comme des primitifs, survivants de l'âge de pierre, très en retard sur les races plus « évoluées ». Ils estimaient bénéfique pour eux de les rendre plus semblables aux Blancs. C'est seulement dans les années 1930-1940 que l'on commença à comprendre certains aspects uniques et fascinants de leur culture. Les Aborigènes ci-dessous montrent les deux visages de la vie de ces peuplades : à droite, un Tasmanien en costume d'ouvrier agricole des années 1869-1870 et un homme du sud-est de l'Australie revêtu d'une tunique en peau de phalanger (appelé « opossum » par les Anglais); ci-dessous, un gardien moderne de troupeaux et un homme portant le bandeau frontal traditionnel.

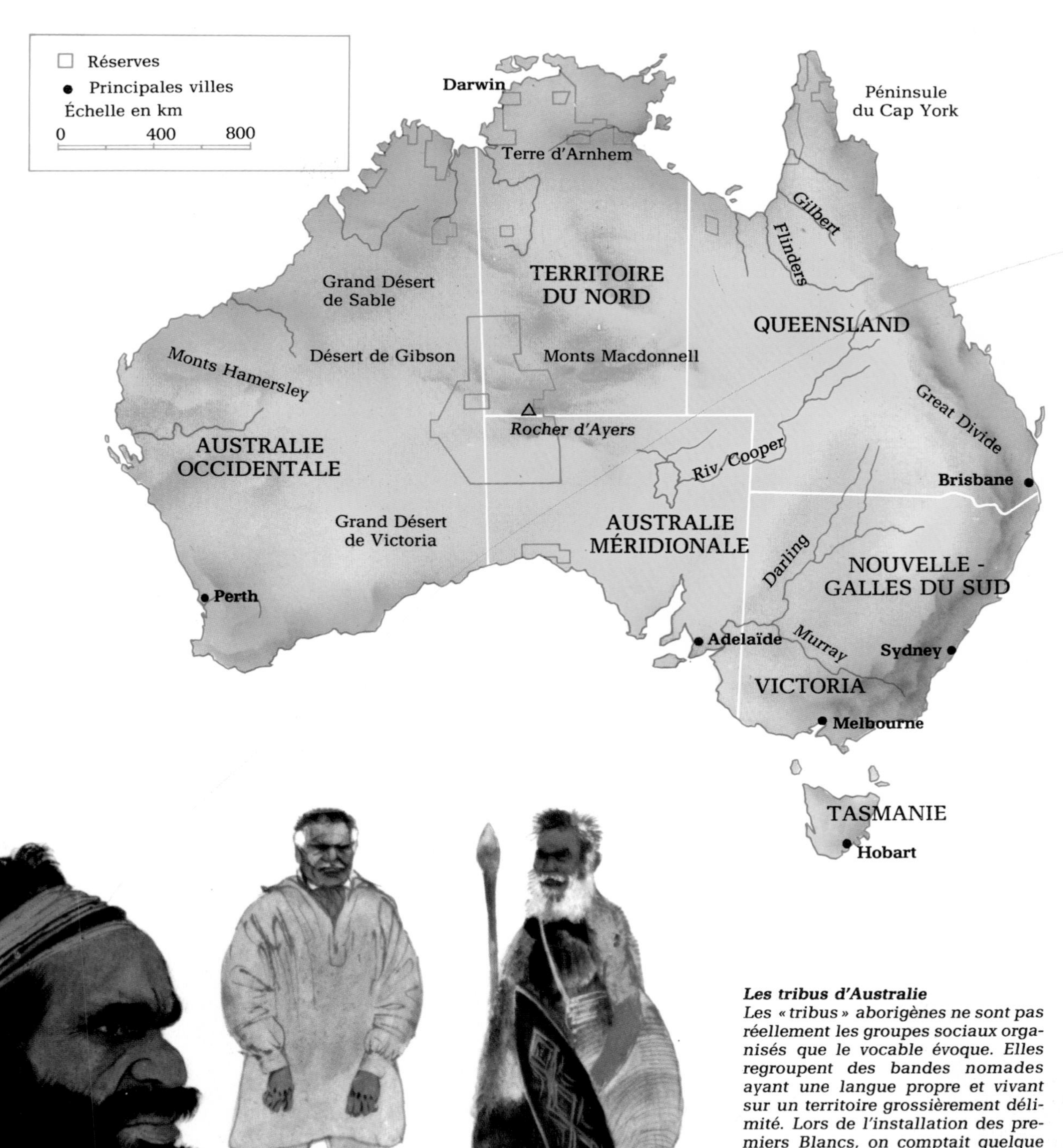

Les tribus d'Australie
Les « tribus » aborigènes ne sont pas réellement les groupes sociaux organisés que le vocable évoque. Elles regroupent des bandes nomades ayant une langue propre et vivant sur un territoire grossièrement délimité. Lors de l'installation des premiers Blancs, on comptait quelque 200 langues indigènes; au milieu du XXe siècle, beaucoup d'entre elles avaient disparu. Le processus de « détribalisation », au cours duquel les Aborigènes furent massacrés ou expulsés de leurs territoires, avait été si rapide que le mode de vie traditionnel avait disparu, sauf dans les déserts du centre et de l'ouest et dans le nord, quand les anthropologues commencèrent à l'étudier sérieusement. La carte ci-dessus montre la structure géographique et politique actuelle du continent australien.

Une vie nomade

Les Aborigènes se déplacent sans cesse en quête de nourriture. Vivant de chasse et de cueillette, ils ont des liens très étroits avec la nature qu'ils doivent bien connaître pour survivre. Ils connaissent les aliments de saison; ils savent où trouver de l'eau, reconnaître les traces des animaux, interpréter les signes annonçant le temps. Un détail leur indique qu'un fruit doit être mûr, qu'un oiseau migrateur va passer. Ils se rendent alors là où ils trouveront cette nouvelle nourriture. Un même groupe réoccupe chaque année le même site à la même date en fonction des disponibilités saisonnières en nourriture. Ce mode de vie exige des connaissances énormes, ce que les habitants des sociétés industrielles modernes ont du mal à comprendre.

En marche
Peu après l'aube, les familles quittent le camp et partent en quête de nourriture. Les hommes marchent en tête, portant leurs armes, prêts à tuer un éventuel gibier ou à défendre le groupe contre des ennemis. Avec les garçons les plus âgés, ils suivront les traces de gros animaux. Les femmes viennent derrière, portant les biens du groupe (écuelles de bois, sacs, bâtons pour fouiller la terre) et les enfants trop petits pour marcher.

Le feu
Les Aborigènes ont deux façons de faire du feu. Soit ils prennent un bâton pointu en bois dur et le font tourner rapidement entre leurs paumes de sorte que la pointe pénètre dans un morceau de bois tendre, le frottement produisant alors une combustion sans flamme. Soit ils frottent le bord d'un propulseur de javelot en bois dur contre un bouclier en bois tendre. Des « bâtons à feu », dont le bout est recouvert de résine et de graines, servent à transporter le feu pendant les déplacements.

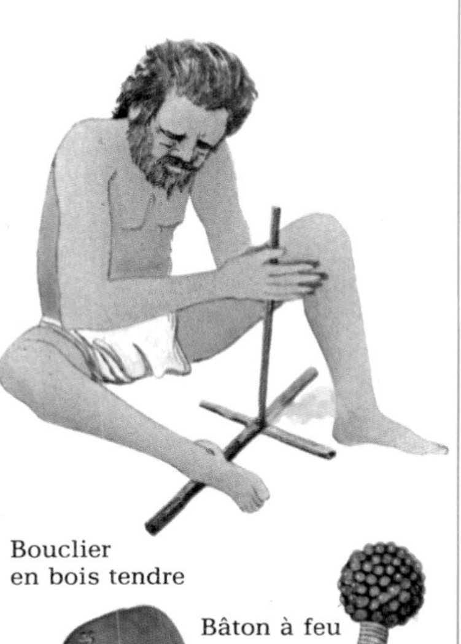

Bouclier en bois tendre

Bâton à feu

Propulseur de javelot

Cette vie traditionnelle n'exige pas une abondance de biens matériels. Parce que les Aborigènes n'ont apparemment « pas su » dépasser le stade technique le plus rudimentaire, certains les ont jugés stupides et arriérés. Pourtant il est clair que des hommes devant se déplacer sans cesse pour se nourrir ne souhaitent pas se charger d'équipements inutiles. Ils n'ont besoin que d'armes de chasse, d'outils pour creuser la terre, de quelques couteaux d'os ou de pierre, de quelques récipients. Ils ne portent pratiquement pas de vêtements et leurs huttes sont rapidement édifiées avec des matériaux trouvés sur place mais le climat, dans la plus grande partie de l'Australie, n'exige ni vêtements chauds ni habitations robustes.

On a dit que les Aborigènes « pillaient la nature » parce qu'ils prennent ce dont ils ont besoin et vont plus loin. Mais ils ne prennent jamais plus que le strict nécessaire, ne forcent jamais la terre à donner plus qu'elle ne peut normalement produire. Et leur vie nomade offre bien des avantages : parce qu'ils ne passent pas de longues heures à travailler pour se nourrir, ils ont des loisirs pour se détendre. Et surtout, ils ont un mode de vie parfaitement adapté au milieu qui les entoure.

Hutte en branches et écorces d'eucalyptus

La recherche de la nourriture

Peu après l'aube, la famille se met en route pour chercher sa nourriture de la journée. Les hommes vont à la chasse, tandis que les femmes et les enfants partent de leur côté, isolément ou en groupe, pour ramasser des plantes et de petits animaux. La chasse est évidemment plus spectaculaire, mais la cueillette a probablement plus d'importance puisqu'elle fournit de 70 % à 80 % de la nourriture de la famille. Sauf en période de sécheresse, les femmes sont pratiquement sûres de rapporter quelque chose, alors que les hommes rentrent parfois les mains vides.

Les femmes se rendent à leur tâche quotidienne munies de leurs bâtons à fouiller la terre et portant sur leur tête des sacs et des jattes en bois placées sur des coussinets en plumes d'émeu. Tout en marchant, femmes et enfants croquent quelques fruits et larves, mais ils rapportent la plus grande partie de leur butin pour le repas du soir. Les ignames et autres racines comestibles sont très appréciées. Les femmes repèrent dans le sol les minces fissures révélant la présence des ignames qu'elles déterrent alors avec leur bâton à fouir.

Les fruits, les noix, les baies sont consommés crus, mais les ignames peuvent également être cuites sous la braise. Certaines racines sont toxiques et doivent être rendues inoffensives par une préparation spéciale. Les Aborigènes,

Une nourriture gratuite
Sous un soleil impitoyable, le paysage australien paraît rude et désolé, mais les Aborigènes savent y trouver de quoi manger. Les animaux et végétaux ci-dessous, s'ils sont peu alléchants, leur assurent une alimentation nutritive et bien équilibrée.

Noix du Queensland
Larve d'insecte perce-bois
Œufs de sterne
Fruits du cycas
Pois du désert (clianthus)
Fourmi à miel
Figues indigènes
Ignames
Souris marsupiale
Grenouille catholique
Lézard à longue queue
Serpent tapis (python)

Bâtons à fouiller le sol
Il s'agit de bâtons pointus de plus d'un mètre de long, utilisés pour déterrer les larves, les fourmis, les racines, les animaux fouisseurs. Pour creuser plus profondément, on prend une écuelle en bois après avoir ameubli le sol avec le bâton.

vivant dans un milieu très rude, doivent utiliser tout ce qui est comestible et sont donc obligés de bien connaître leur environnement.

Des graines de graminées sont recueillies dans les jattes en bois qui servent d'ailleurs à tout transporter, même l'eau et les bébés. De retour au camp, les femmes entreprennent un long travail : il faut secouer les grains pour séparer la balle. Puis on pile les grains, on leur ajoute de l'eau et on en forme une sorte de galette plate que l'on cuit sous la cendre.

Cette alimentation peut paraître pauvre, mais elle est en fait très nutritive. Outre des végétaux, les femmes rapportent des lézards, serpents, grenouilles, souris, insectes, qui fournissent des protéines. La fameuse larve d'insecte perce-bois, très grasse et particulièrement riche en protéines, est extraite de la racine des arbres; on la mange crue ou grillée, elle aurait un agréable «goût de noisette». Les fourmis à miel et l'écorce d'un eucalyptus fournissent des liquides sucrés qui peuvent remplacer l'eau en période de sécheresse. Les fourmis à miel stockent le liquide dans leurs abdomens gonflés; les Aborigènes les saisissent par la tête et croquent la partie abdominale. Même dans les déserts les plus arides et avec les outils les plus rudimentaires, il y a toujours quelque chose à manger pour qui sait chercher.

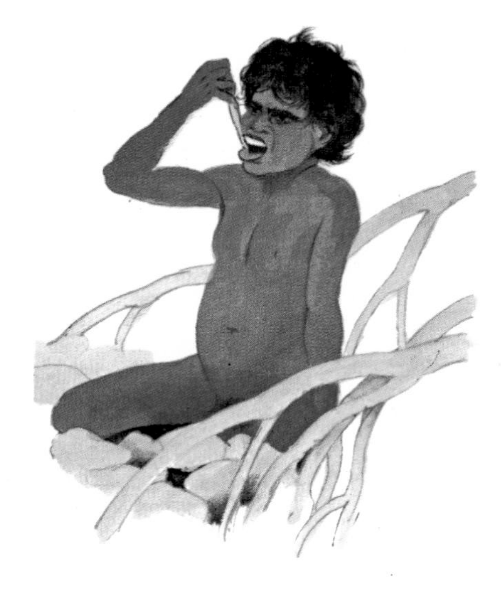

Une délicieuse larve
Les enfants aident à la collecte de la nourriture, mais prennent le temps de la dégustation en cours de route.

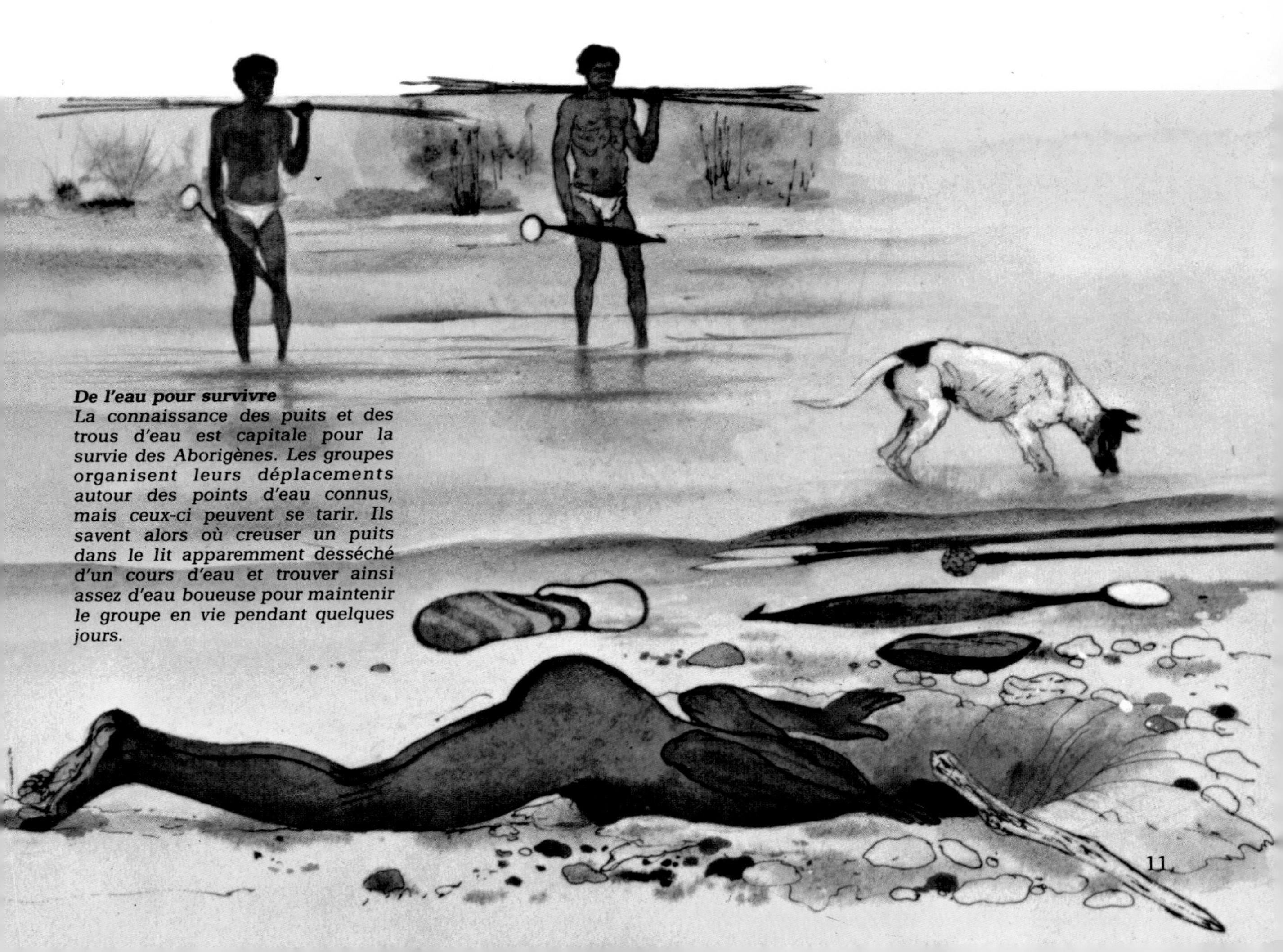

De l'eau pour survivre
La connaissance des puits et des trous d'eau est capitale pour la survie des Aborigènes. Les groupes organisent leurs déplacements autour des points d'eau connus, mais ceux-ci peuvent se tarir. Ils savent alors où creuser un puits dans le lit apparemment desséché d'un cours d'eau et trouver ainsi assez d'eau boueuse pour maintenir le groupe en vie pendant quelques jours.

La chasse

Les hommes chassent le gros gibier : kangourous, wallabies, émeus, varans. Leurs armes principales sont des javelots, longues tiges en bois dont l'extrémité est durcie au feu ou munie d'une pointe en silex; la tête est fixée par une lanière en peau de kangourou ou collée par de la résine. Les Aborigènes sont habiles au lancer du javelot. Ils atteignent leur but à une distance de 70 à 90 mètres en utilisant un propulseur ou woomera, longue planche portant à une extrémité une cheville sur laquelle s'adapte la hampe creuse du javelot. Ce dispositif allonge artificiellement le bras et donne plus de puissance au jet. Certaines tribus utilisent aussi des boomerangs pour la chasse. Ceux-ci, tournoyant dans l'air, peuvent infliger des graves blessures ou casser une jambe, mais ils ne reviennent pas en arrière. Les Aborigènes traquent le gibier avec patience et ingéniosité. Ils savent imiter les cris des animaux, connaissent bien les mœurs et le comportement de chaque espèce. En examinant les empreintes d'un kangourou ou d'un émeu, ils savent si l'animal est passé récemment et où il se dirigeait. Le chasseur qui suit un kangourou, animal nerveux et méfiant, peut le traquer pendant des heures, se plaçant contre le vent, parfois s'enduisant de boue pour effacer toute trace de son odeur humaine, attendant de se trouver à bonne distance pour lancer le javelot. Les hommes rapportent les grosses pièces sur leurs épaules, mais glissent les petits animaux (comme les varans) dans leur ceinture, ce qui leur laisse les mains libres pour attaquer éventuellement une nouvelle proie. Les hommes chassent parfois en groupe, quand le gibier est abondant; toute grosse prise est alors partagée entre les membres du groupe.

Les armes
Les hampes de javelots, faites de longues tiges minces, sont façonnées avec des couteaux en os, pierre ou fer, ou avec des burins constitués par des dents de kangourou serties dans un manche en bois. Les pointes sont en pierre ou en fer, parfois en obsidienne. Les massues sont lancées ou utilisées pour frapper.

Le gibier

Le kangourou et l'émeu, gros oiseau qui ne vole pas, constituent le principal gibier indigène. Les animaux importés (lapins, chats redevenus sauvages), les phalangers, les bandicoots à oreilles de lapin, les wallabies et les wombats (marsupiaux à peu près de la taille d'un blaireau) fournissent aussi une bonne viande. Malgré l'infinie patience des chasseurs, toute une journée d'affût peut se terminer avec quelques lézards et rongeurs.

La tombée de la nuit

Tête et cou
Côtes et pattes de devant
Dos
Cuisses et pattes de derrière
Culotte
Queue
Pieds

Répartition de la nourriture
Le gros gibier, souvent chassé en groupe, est partagé entre les chasseurs et d'autres familles; le partage est de règle en milieu désertique hostile. Il serait absurde qu'une famille stocke une viande qui ne pourrait se conserver en raison de la chaleur et des mouches. L'animal est donc cuit, découpé, distribué. Les chasseurs et les hommes âgés se servent les premiers et prennent les morceaux les plus nutritifs, tels que la culotte et les cuisses.

Quand les chasseurs rentrent à la fin du jour, la viande est partagée entre toutes les familles. Les Aborigènes n'ayant pas le moyen de conserver longtemps le gibier, les animaux tués dans la journée sont consommés le soir même au cours du repas principal. Les restes éventuels sont mangés froids le lendemain matin.

La viande est cuite sous la cendre. Beaucoup d'Européens la trouveraient pratiquement crue, mais les Aborigènes mangent leur viande saignante, ce qui leur permet d'en tirer des vitamines essentielles, que la cuisson détruirait. On flambe d'abord la fourrure ou les plumes, puis la carcasse est recouverte de pierres chaudes ou de cendres. Les femmes font cuire le petit gibier et les galettes de grains, mais le gros gibier et la préparation des repas rituels sont l'affaire des hommes.

Le kangourou est parfois flambé et mangé tel quel, parfois cuit dans une fosse d'environ 60 centimètres de profondeur, tapissée de brindilles et de pierres chaudes. L'animal entier est placé dans la fosse, les pattes dépassant à l'extérieur; il est recouvert de braises et l'on attend qu'il soit « cuit ». On retire alors la carcasse, on la détaille selon la méthode traditionnelle, et les morceaux sont distribués aux membres du groupe. L'émeu est cuit de façon similaire, mais c'est la tête qui dépasse de la fosse et l'on considère que l'animal est « cuit » lorsque de la vapeur sort de son bec.

Après leur repas, les Aborigènes restent parfois assis autour du feu en mâchant du pituri, feuille ressemblant au tabac que l'on coupe en petits morceaux et mélange à des cendres. Puis chacun se prépare à dormir, à moins que plusieurs familles ne se soient réunies pour chanter, danser ou raconter des histoires jusque tard dans la nuit.

Chaque individu se voit attribuer une place pour dormir. L'organisation sociale, fondée sur les liens de parenté, est l'une des plus élaborées du monde. Chacun y a sa place bien définie, est apparenté à tous les membres du groupe et connaît par conséquent exactement ses droits et ses devoirs à l'intérieur de la tribu. Un code de comportement très strict, reposant entièrement sur les relations de parenté, leur permet de vivre en harmonie. Des règles strictes régissent le mariage; les mœurs européennes, permettant d'épouser n'importe quelle personne non directement apparentée, paraissent choquantes aux Aborigènes. Un homme a généralement deux ou trois femmes; chacune s'occupe de ses propres enfants qui dorment près d'elle quand ils sont petits. Les garçons plus âgés dorment à l'écart de leurs parents, les veuves et les vieillards occupent des parties distinctes du camp. Pour la nuit, les Aborigènes allument de petits feux qu'ils rechargent car il peut faire très froid dans le désert. Il arrive qu'ils se brûlent en roulant dans le feu pendant leur sommeil.

Une fibre à tout faire
Cette femme est occupée à battre des fibres d'écorce sur un billot. Quand les fibres sont assouplies, on en fait de la ficelle utilisée pour la fabrication de ceintures, bandeaux frontaux, sacs, paniers et lignes de pêche. La ficelle est obtenue en roulant les fibres entre les paumes des mains ou sur les cuisses.

Jattes et paniers
Les jattes sont taillées dans du bois dur et chauffées pour les façonner. La femme de gauche répare une jatte avec une résine extraite de l'herbe porte-épic (spinifex), l'autre tresse un sac avec de la ficelle de fibres végétales.

Les Aborigènes de la côte

La vie est plus facile pour les Aborigènes vivant près des côtes ou des rivières. La nourriture y est plus abondante et le poisson est riche en protéines. N'ayant pas à se déplacer autant pour se nourrir, les hommes construisent des habitations plus durables. Dans la terre d'Arnhem et au cap York, les huttes en écorce d'eucalyptus sont soutenues par des piquets et l'on y entretient du feu pendant la saison humide pour éloigner les moustiques.

Les habitants des côtes ont des bateaux : pirogues ou radeaux. Les radeaux sont faits de bambous ou de jeunes arbres attachés ensemble. Les pirogues sont généralement en écorce. Sur la Murray et la Darling, elles sont faites de plaques d'écorce mesurant jusqu'à 6 mètres, prélevées sur les « arbres à pirogues » et cousues ensemble. Dans le nord, sous l'influence indonésienne, les pirogues sont faites de troncs d'arbres évidés; certaines ont des voiles faites avec des feuilles. Dans l'intérieur, les pirogues ont des proues conçues pour fendre les herbes qui encombrent les « bilabongs » (mangroves) et les petits cours d'eau.

Aliments tirés de la mer
Les Aborigènes des côtes ont une alimentation plus riche et plus variée que leurs cousins de l'intérieur. Leur régime comporte plus de graisses (fournies par le foie de certains poissons, tortues et coquillages) et plus de protéines. Ils mangent les coquillages crus (l'eau ne peut bouillir dans des récipients en bois), mais font griller les crustacés, les gros poissons et les mammifères marins (phoques ou dugongs des eaux chaudes du nord). Les petits poissons sont roulés dans des feuilles et cuits dans les cendres.

Sur les côtes, les hommes «chassent» le poisson avec des javelots à plusieurs têtes. Sur la côte nord, ils utilisent des harpons pour chasser la tortue ou le dugong, gros mammifère herbivore se déplaçant lentement. Le harponneur peut suivre très longtemps une tortue aperçue en mer avant d'être à distance convenable pour viser son point vulnérable : le cou. La tortue, cherchant vaillamment à s'échapper, peut traîner le frêle esquif pendant un certain temps avant de mourir.

Les Tasmaniens, par contre, ne pêchaient pas. Ils ramassaient des coquillages à marée basse ou en plongeant dans les eaux froides qui entourent l'île. Dans leurs frêles pirogues d'écorce, ils se rendaient aussi dans les îles au large des côtes à la recherche de phoques et d'œufs d'oiseaux.

Les femmes ramassent des coquillages, pêchent avec des lignes et des hameçons ou prennent le poisson dans des nasses en forme d'entonnoir. Certains Aborigènes empoisonnent le poisson des mares en faisant macérer dans l'eau une plante vénéneuse, d'autres érigent des barrages pour capturer les poissons à marée basse.

Techniques de pêche
Ces hommes de la terre d'Arnhem pêchent en pirogue avec des harpons. Les têtes des harpons et javelots de pêche ont souvent deux ou plusieurs pointes portant des barbelures. Les hommes les lancent de leur pirogue ou de la rive, puis s'avancent dans les eaux peu profondes pour les récupérer. Les Aborigènes de la terre d'Arnhem pêchent aussi la nuit avec des torches pour attirer le poisson qu'ils tuent avec leurs javelots ou prennent dans des filets. Sur la côte du Queensland, les hommes pêchent avec de grands filets munis de flotteurs en bois et lestés avec des cailloux.

Peintures rupestres
En général les gravures et peintures rupestres commémorent les mythes de l'Age d'Or. Ces silhouettes préhistoriques en forme de bâtonnets ont été trouvées à Oentelli dans la terre d'Arnhem et sont attribuées au peuple des Mimi qui vivait dans les rochers. En Australie méridionale et Nouvelle-Galles du Sud, le style « hommes-bâtonnets » a survécu jusqu'à tout récemment.

L'Age d'Or

Bien qu'ils aient une culture relativement peu évoluée au plan matériel, qu'ils ne pratiquent pas l'agriculture et n'aient que des outils rudimentaires, les Aborigènes ont une vie religieuse très riche et une structure sociale complexe fondée sur la religion. Pour eux, les principes régissant la nature et les hommes ont été établis à une époque qu'ils appellent l'Age d'Or.

A cette époque, leurs puissants ancêtres voyageaient à travers le continent où ils avaient de nombreuses aventures et modelaient les paysages, les hommes et les animaux pour leur donner leur aspect actuel. Ainsi le lit desséché d'un cours d'eau indique l'endroit où un ancêtre-serpent de taille géante se frayait un chemin à travers les sables; l'anfractuosité profonde d'un rocher résulte d'un coup de hache donné par un homme-lézard au cours d'un combat. Les êtres de l'Age d'Or étaient animaux ou plantes tout autant qu'hommes : il y avait des hommes-ignames et des hommes-kangourous. Certains ancêtres mythiques sont communs à de nombreuses tribus, d'autres sont particuliers à une région. Tous sont commémorés et célébrés par les différentes tribus, qui font revivre par des chants et des danses les mythes associés à leur territoire particulier.

Les ancêtres de l'Age d'Or ont créé les Aborigènes et leur ont donné des règles de vie. Au cours de leurs voyages, ils ont en quelque sorte tracé des itinéraires. Où qu'ils aillent, les Aborigènes suivent littéralement les pas de leurs ancêtres, ce qui leur donne un sentiment de sécurité et crée un lien profond avec les régions qu'ils traversent. Ainsi, ils font eux-mêmes partie de l'Age d'Or, qui survit en eux.

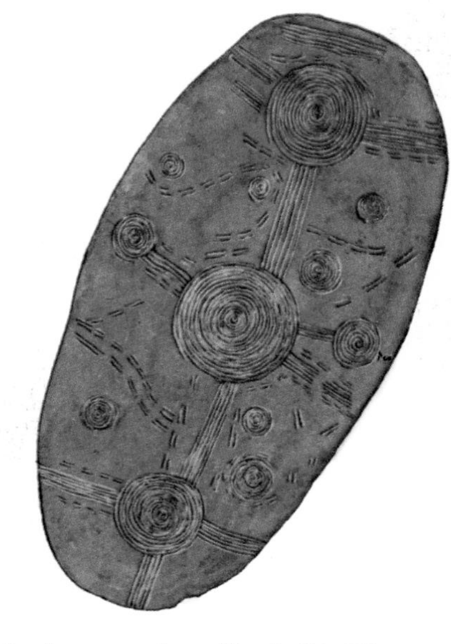

Churinga en pierre (Australie centrale) du totem de la sauterelle.

Churingas, objets sacrés
En bois ou en pierre, ces objets ont une grande signification spirituelle. Beaucoup d'entre eux auraient été laissés aux hommes par les ancêtres de l'Age d'Or. Les motifs symboliques, gravés ou peints, relatent des événements de l'Age d'Or.

L'art aborigène et ses matériaux
L'art aborigène est lié au monde spirituel. Des fruits séchés, ornés de motifs gravés ou peints, sont utilisés comme crécelles dans les cérémonies religieuses. Les motifs décoratifs, les peintures corporelles, les peintures sur roche ou sur écorce (à gauche) ont une signification que seuls les initiés peuvent comprendre. Les peintures sont des argiles et des ocres (noir, blanc, rouge et jaune), les pinceaux sont des baguettes au bout effrangé.

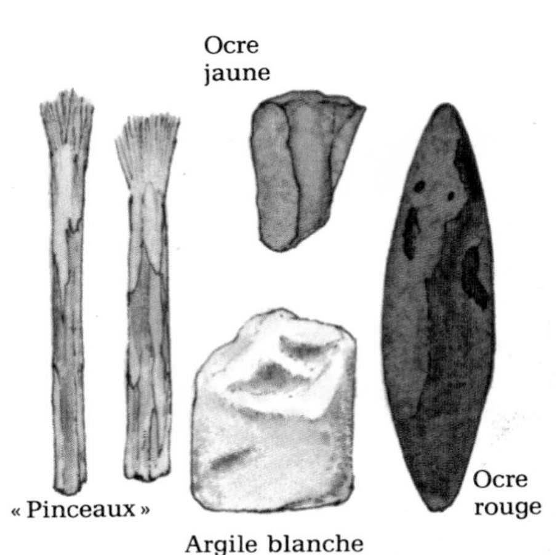

Une foi vivante

En se déplaçant de point d'eau en point d'eau ou d'un terrain de chasse à un autre, les Aborigènes ne vont pas au hasard, ils suivent les pistes tracées par leurs ancêtres mythiques. Partout où ils faisaient une halte, ceux-ci laissaient des marques de leur présence; au terme de leur voyage, ils se transformaient en éléments du paysage ou disparaissaient dans des trous d'eau. Chacun de ces endroits garde une parcelle de leur pouvoir spirituel. Pour les Aborigènes, un grand nombre de ces lieux sont des sites sacrés. Une formation rocheuse sans intérêt pour le voyageur étranger représente pour les initiés l'abri qu'un héros de l'Age d'Or s'est créé au cours d'un de ses voyages. En l'examinant de plus près, on y découvre des peintures racontant — à qui sait interpréter les signes — tout le détail des aventures du héros. Ces motifs sont repeints à l'occasion de cérémonies commémoratives au cours desquelles les Aborigènes chantent l'histoire du héros.

Les plantes, les animaux et les hommes associés aux sites sacrés (tels les hommes conçus ou mis au monde à proximité de ces sites) participent pour toujours à leur essence spirituelle. C'est ce qu'on appelle leur « totem ». L'homme (ou la femme) né près du point d'eau où disparut une femme-opossum aura un opossum pour totem et le célébrera par les rites associés au point d'eau.

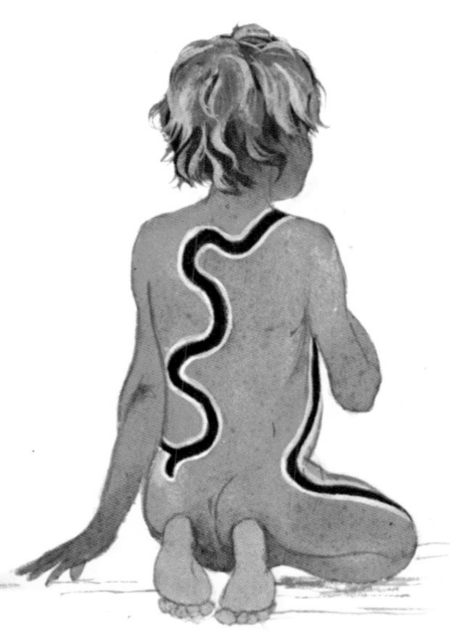

Peinture corporelle
Ce jeune garçon porte un motif peint représentant un goanna sacré (sorte de varan), totem de son clan.

Sites sacrés
Cette roche pointue marque le lieu consacré à un goanna mythique à Niunja sur la côte nord de l'Australie. Des cérémonies célébrant le goanna sont organisées périodiquement par les hommes initiés qui racontent son histoire par des danses et des chants, renforçant ainsi leurs liens avec les mythes de l'Age d'Or.

Un individu peut avoir plusieurs totems : l'un hérité de son père, un autre associé à son lieu de naissance, un troisième particulier à sa tribu. Les totems peuvent être des plantes comme l'igname sauvage, des animaux comme le kangourou, des objets inanimés comme des pierres, mais tous contribuent à maintenir un lien étroit entre les hommes et la nature.

Ce lien qui rattache les Aborigènes à la nature reste très puissant grâce à leurs croyances concernant l'Age d'Or et le totémisme. Les ancêtres mythiques pouvaient passer de la forme animale ou végétale à la forme humaine. Les totems (animaux, plantes ou même minéraux) reflètent ce dualisme homme/nature. Pour leur subsistance, les Aborigènes dépendent presque entièrement de la nature. Ils croient que s'ils la traitent avec respect, s'ils pratiquent certains rites et se comportent selon les règles fixées à l'Age d'Or, la nature leur en saura gré et leur donnera des enfants, de la pluie et de la nourriture en abondance. Les cérémonies totémiques particulières et les rites religieux célébrés dans les sites sacrés sont surtout l'affaire des hommes, car ce sont eux qui détiennent la connaissance sacrée concernant l'Age d'Or. Mais avant qu'un homme ne puisse apprendre tout ce qui a trait à son héritage, il doit se soumettre à une initiation qui comporte des épreuves secrètes et douloureuses.

Peintures sur le sol
Dans le centre et le nord de l'Australie, les Aborigènes font sur le sol des peintures très élaborées qui couvrent de grandes surfaces et épousent le relief de la terre et du sable. Dans d'autres régions, les peintures sont de simples marques sur le sol, représentant les empreintes d'animaux totémiques ou des symboles géométriques se rapportant aux mythes de l'Age d'Or. En général le sol est ainsi décoré avant les cérémonies totémiques ou les rites d'initiation. Ci-dessous des hommes initiés peignent, de façon symbolique, l'histoire d'un émeu mythique. Après avoir enduit le sol d'une couche d'ocre, un homme marque avec un pinceau les empreintes de l'émeu en noir et blanc, tandis que les autres psalmodient le récit. Comme les peintures rupestres ou sur écorce, ces peintures sont essentiellement d'inspiration religieuse.

Naissance à la vie adulte

L'initiation marque l'entrée des garçons et des filles dans le monde des adultes. Pour les filles, on organise parfois des cérémonies très simples qui les préparent à leur vie future d'épouses et de mères. Mais dans la société des Aborigènes, les hommes ont beaucoup plus d'importance que les femmes. Le domaine religieux et sacré leur est presque exclusivement réservé. Pour devenir un homme, pour être digne de recevoir et de transmettre les secrets de l'Age d'Or, un garçon doit subir des épreuves et son initiation est par conséquent une affaire très solennelle.

Avec quelques variantes les cérémonies se ressemblent dans toute l'Australie. Entre 10 et 20 ans, le garçon qui rentre au camp est un jour saisi, sans brutalité mais fermement, par les hommes de sa famille. Femmes et enfants s'assemblent en pleurant et feignent de le retenir car l'initiation qu'il va subir est une « mort » symbolique : l'enfant va mourir et « renaître » adulte. Les hommes l'entraînent en un lieu où d'autres hommes l'attendent, balançant autour de leurs têtes des churingas en bois, ce qui produit un étrange vrombissement. Les femmes et les non-initiés croient que ce sont les voix d'esprits redoutables, mais les nouveaux initiés apprennent la vérité à ce sujet.

L'initiation doit être une épreuve terrifiante et le garçon ne doit pas montrer sa peur. En fait, il se soumet de bonne grâce car il sait qu'il prendra ainsi sa place parmi les hommes de sa

Préparation à l'initiation
Les hommes préparent les novices en les enduisant d'ocre rouge, symbole du sang et de la « mort » rituelle qu'ils vont subir. Des marques blanches reproduisent les motifs du totem du clan. Après l'initiation les garçons seront membres du clan à part entière et ils seront instruits des mythes associés à leur totem.

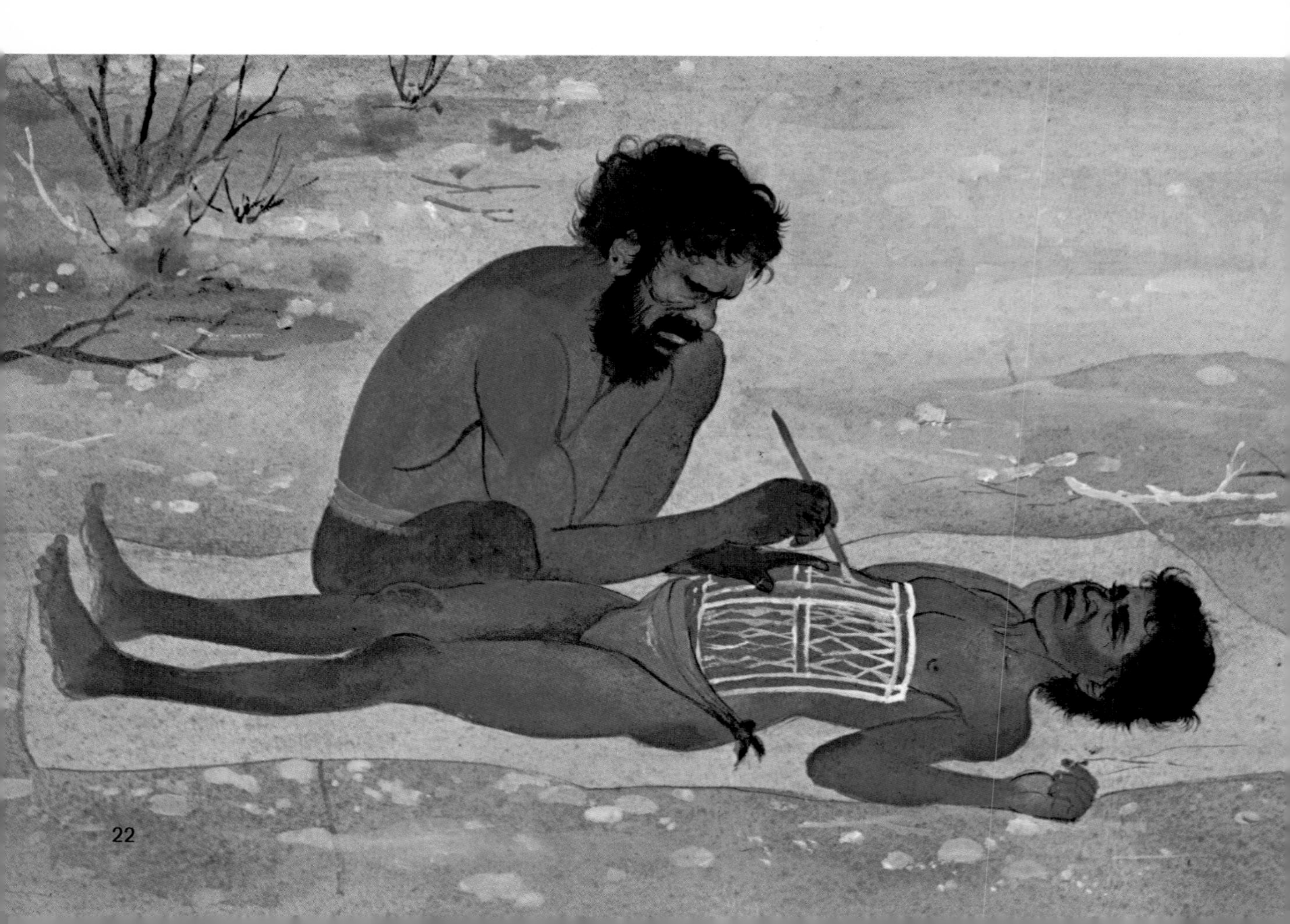

tribu. Lorsqu'un garçon manque de respect pour ses aînés, son initiation peut être avancée pour lui donner le sens des responsabilités; elle peut aussi être retardée pour lui signifier qu'il n'est pas digne d'apprendre les secrets des hommes.

La plupart des rites d'initiation comportent des épreuves physiques douloureuses (circoncision, arrachage d'une dent, balafres sur le corps). Les garçons doivent apprendre à supporter la douleur, et toutes ces souffrances ne mettent pas seulement à l'épreuve leur endurance, mais témoignent physiquement de leur nouvelle virilité. Au cours de bon nombre de ces rites, les hommes chantent, peignent leur corps et celui des garçons et oignent les novices de leur propre sang pour leur communiquer un peu de leur caractère d'adultes. Il arrive que les garçons soient gardés loin du camp pendant des mois; durant ce temps, ils apprennent les récits de l'Age d'Or et on leur montre les churingas et d'autres objets sacrés. Quand tout est terminé, ce ne sont plus des garçons mais des hommes qui rentrent au camp. On organise alors souvent des fêtes et des chants et on leur donne de nouveaux noms pour bien montrer qu'ils sont de nouveaux membres de la tribu, « nés » une seconde fois.

Aujourd'hui encore, malgré l'opposition des missionnaires et des enseignants, les jeunes garçons se soumettent souvent à ces rites qui sont pour eux le seul moyen d'accéder à la vie adulte des hommes aborigènes.

Churinga du district de la rivière Katherine.

Rites d'initiation
Selon les régions il existe des différences concernant la durée de l'initiation, le nombre des initiés, la nature des épreuves subies. Ici les novices, étendus par terre, écoutent leurs aînés qui, par des chants psalmodiés, leur révèlent des secrets de l'Age d'Or ainsi que les lieux et objets sacrés s'y rapportant.

Danse du vent
Ornés de peintures corporelles correspondant à leurs totems, ces hommes de la côte nord dansent une « danse du vent » dans le cadre de rites visant à attirer le poisson sur les côtes. Les bouquets d'herbes attachés à leurs jambes imitent le bruissement du vent lorsqu'ils dansent. Un homme joue du didjeridu, un autre bat la mesure sur un boomerang. Par de telles danses rituelles, les Aborigènes donnent plus de puissance aux forces de la nature.

Rites et magie

En dehors de l'initiation, il existe d'autres rites importants, mais ils sont tous l'affaire des hommes, gardiens des secrets de l'Age d'Or. Une femme ou toute autre personne non initiée encourent la peine de mort si elles voient un lieu ou un objet sacrés. Les rites de multiplication, destinés à assurer une abondance d'eau ou de gibier, sont souvent célébrés par les hommes appartenant au totem de l'animal ou du végétal que l'on veut honorer. Ainsi les hommes de l'igname sauvage sont chargés du rite qui doit assurer une bonne récolte d'ignames. Les rites funéraires ont pour objet de faire partir en paix l'esprit du mort. Pour ces cérémonies, les Aborigènes se couvrent de peintures rituelles, ornent leurs corps de duvet collé avec du sang, chantent et dansent sur des rythmes sacrés.

Dans la plupart des tribus, des hommes d'un certain âge, les sorciers, ont des pouvoirs spéciaux et sont très respectés. On les dit capables de voler, de se déplacer dans des tourbillons, de se changer en animaux. Ils ont acquis leurs pouvoirs par de terribles épreuves subies dans le monde des esprits. Leurs sorcelleries peuvent être bénéfiques ou maléfiques. Ils peuvent rendre les gens amoureux, provoquer la pluie, guérir les malades. L'une de leurs magies les plus terrifiantes est la *kadaitcha* pratiquée dans le centre et l'ouest de l'Australie. Le terme désigne des sandales en plumes d'émeu, collées avec du sang humain, que l'on porte pour des expéditions vengeresses. Le porteur de ces sandales, accompagné d'un sorcier, part sur les traces de sa victime et la frappe de son javelot. Le sorcier referme la blessure par magie et la victime rentre au camp sans se douter qu'elle est blessée, mais elle meurt peu après.

Poteaux funéraires sculptés
Dans le nord de l'Australie, des poteaux peints et sculptés sont disposés autour des tombes. Certains représentent des hommes, des touffes d'herbes figurant les cheveux. Parfois ces poteaux, repeints, sont réutilisés pour des cérémonies rituelles.

Os magiques
Autrefois il s'agissait probablement d'os humains; on utilise maintenant des os de kangourous. L'os est « pointé », au son d'une mélopée, par l'homme qui a le pouvoir de le rendre invisible et de le faire voler jusqu'à la victime qu'il veut transpercer. La seule façon de guérir des effets de cette magie est de trouver un sorcier plus puissant pour « extraire » l'os.

Corroborees

Le mot « corroboree » est utilisé par les anglophones pour désigner toutes les cérémonies ou fêtes des Aborigènes comportant des danses et des chants, qu'il s'agisse de fêtes religieuses ou profanes. En fait, les premières sont plus solennelles et il y a des différences considérables dans la signification symbolique des danses et dans la nature des chants.

La musique sacrée est en grande partie l'apanage des initiés, mais il y a aussi de la musique et des danses auxquelles toute la communauté participe. Une « grande rencontre » (« corroboree » non religieux) peut rassembler plusieurs tribus et la fête peut alors réunir plusieurs centaines de personnes. De nombreux événements de la vie des Aborigènes peuvent servir de thème à un corroboree : célébration des rites d'initiation ou de multiplication, ou plus simplement abondance d'eau ou de gibier.

La fête commence le soir et chacun y prend part en criant et frappant dans ses mains au son de la musique. Les chants, que l'on rythme en frappant des bâtons, sont accompagnés par le ronronnement du célèbre didjeridu, long tube en bois ou en bambou. Les autres instruments de musique sont des tambours faits dans des morceaux de bois creux et des boome-

Bâtons de messagers
Le messager allant d'une tribu à une autre porte le message gravé sur un bâton pour prouver son authenticité. Les bâtons servent aussi de sauf-conduit pour la traversée de territoires étrangers.

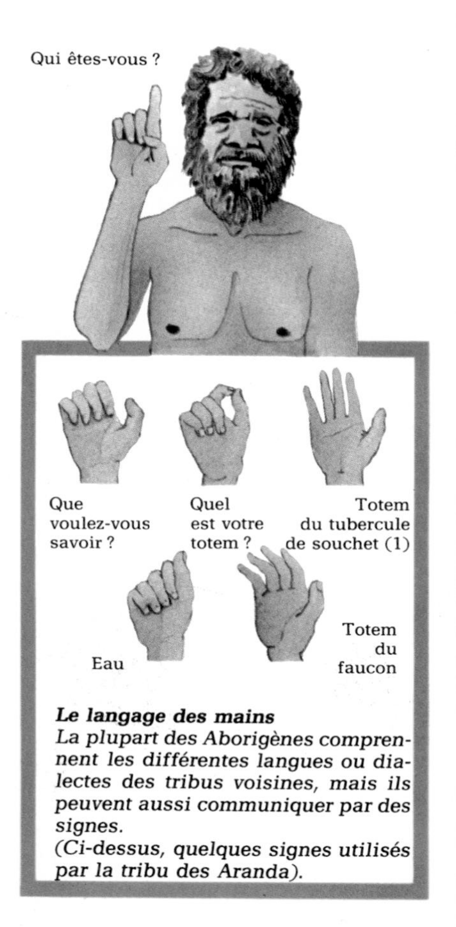

Le langage des mains
La plupart des Aborigènes comprennent les différentes langues ou dialectes des tribus voisines, mais ils peuvent aussi communiquer par des signes.
(Ci-dessus, quelques signes utilisés par la tribu des Aranda).

(1) N.d.T. : Plante dont le tubercule est comestible.

rangs que l'on frappe les uns contre les autres. Les danses consistent en mouvements complexes des pieds et des mains; souvent les danseurs miment des hommes ou des animaux. Les danses contant les récits de l'Age d'Or ont une grande force d'expression.

La plupart des danses ont une trame traditionnelle, mais des variantes sont possibles et certains individus sont réputés pour leur art et leur imagination dans l'interprétation d'une danse. Dans le nord, les danses sont dirigées par des « chanteurs », spécialistes qui connaissent les chants traditionnels et en inventent de nouveaux. Dès que le « chanteur » commence à frapper ses bâtons, le joueur de didjeridu se place à côté de lui et tout le monde s'assemble autour d'eux. Quelques hommes commencent à danser, tandis que les femmes frappent dans leurs mains. Bientôt tous sont pris dans l'ambiance et les sons cadencés se font entendre tard dans la nuit.

Ces rencontres permettent aux Aborigènes d'échanger des nouvelles, de se distraire et aussi de troquer des marchandises et de se faire des cadeaux. Des matériaux ou des objets propres à une région ont été découverts sur tout le continent à la suite de tels échanges.

Corroborees de danse
S'il s'agit d'un corroboree religieux, les danseurs sont tous des hommes qui miment des mythes de l'Age d'Or ou des mythes associés au totem du lieu de la célébration. S'il s'agit d'une « grande rencontre » pour l'échange de marchandises ou le partage de nourriture, tout le monde participe à la danse. Chacun est heureux d'apprendre les danses d'autres groupes et d'apporter des variantes aux danses traditionnelles. Les corroborees permettent d'utiles contacts entre ces populations très disséminées.

Conflits

On ne sait pas grand'chose des guerres aborigènes avant l'arrivée des Blancs. Les Tasmaniens, peut-être parce qu'ils vivaient plus près les uns des autres sur leur île, étaient certainement très belliqueux. Mais, sur tout le continent, les Aborigènes ont de belles armes de guerre (javelots, propulseurs de javelots, boomerangs et massues) ainsi que des boucliers (les uns petits et peints d'ocre rouge, les autres longs et étroits et décorés de motifs en zigzags). Tous les boucliers sont en bois ou en écorce avec une poignée creusée dans le matériau. Certains sont encore utilisés pour des luttes rituelles, ils servaient autrefois pour de véritables combats.

Les Aborigènes ne font pas la guerre pour des raisons politiques (conquête de territoires, asservissement d'une autre tribu). Les conflits se produisent plutôt au niveau des individus et de leurs familles. La cause peut en être une histoire de femmes, le franchissement d'un site sacré, une vengeance à la suite d'un meurtre par magie. Au début de l'époque coloniale, les Aborigènes ont utilisé leurs armes contre les colons qui profanaient les sites sacrés.

Depuis que les Blancs ont occupé la plus grande partie de l'Australie, il n'y a plus de grands combats, mais seulement des affrontements entre individus ou petits groupes. Ces « batailles » prennent souvent un caractère rituel : on prend des poses menaçantes, on brandit ses armes, mais il y a rarement effusion de sang. Il s'agit surtout de se calmer les nerfs et d'apaiser les tensions.

Dans certains villages modernes créés par le gouvernement ou par les missions, des groupes tribaux — qui avaient autrefois leurs propres territoires — vivent maintenant en communauté. L'ordre est maintenu par un conseil non officiel d'hommes initiés d'un certain âge, mais des conflits éclatent parfois entre deux groupes tribaux. Cependant les groupes ont une tradition de solidarité et de partage fondée sur la parenté et, après quelques escarmouches, des relations pacifiques sont rétablies, selon la coutume, par l'échange de planches de bois sculptées, objets sacrés.

Querelles personnelles
Ces querelles se produisent surtout quand plusieurs groupes se réunissent pour une cérémonie ou un partage de nourriture. Elles sont souvent bruyantes, avec beaucoup de cris et d'injures, chacun brandissant son arme. Les femmes jouent un rôle important en retenant les hommes, en les empêchant d'ajuster les javelots sur les propulseurs. Autrefois il arrivait que des hommes soient tués. Aujourd'hui l'honneur est sauf quand on s'est bien défié ou que l'on a infligé une blessure superficielle.

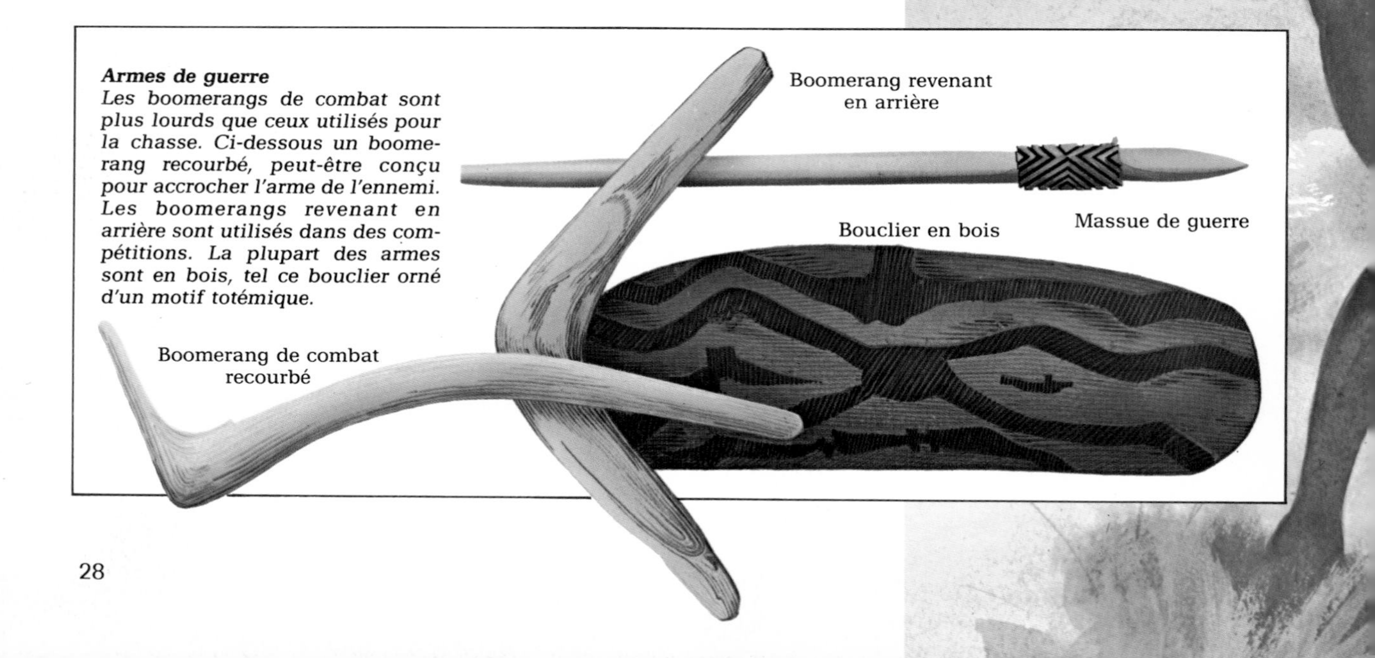

Armes de guerre
Les boomerangs de combat sont plus lourds que ceux utilisés pour la chasse. Ci-dessous un boomerang recourbé, peut-être conçu pour accrocher l'arme de l'ennemi. Les boomerangs revenant en arrière sont utilisés dans des compétitions. La plupart des armes sont en bois, tel ce bouclier orné d'un motif totémique.

L'avenir des Aborigènes

En 1967, le peuple australien décida par référendum que le gouvernement fédéral aurait pouvoir de légiférer pour les Aborigènes. Ceux qui, depuis 1930, demandaient pour eux de meilleurs logements, une meilleure protection sociale, l'abolition des discriminations, l'égalité des salaires et une politique rationnelle à l'échelle nationale, ont vu satisfaire certaines de leurs revendications. Depuis 1970, les Aborigènes ont pris en main la gestion de la plupart des organismes les concernant et la lutte pour leurs droits (en particulier le droit de citoyenneté tout en conservant leurs traditions et leur culture) fait de réels progrès.

Cependant l'avenir des Aborigènes reste très sombre. Il n'y a pratiquement plus de nomades menant la vie traditionnelle. Leurs territoires de chasse ont été pris pour l'élevage, pour la construction de villes et (dans leurs derniers refuges les plus désertiques) pour l'extraction de minerais. Il n'est pas vraisemblable qu'un gouvernement, même très bienveillant, leur rende un jour les terres sans lesquelles la vie ancienne ne peut être préservée.

Pour la majorité des Aborigènes, il n'est plus question de revenir à la vie traditionnelle. Ils vivent dans les villes, souvent dans des logements minables, font les bas travaux et ne dépassent jamais le niveau de l'éducation secondaire. Depuis la guerre, l'Australie a connu un grand afflux d'immigrants de toutes les nationalités d'Europe et d'Asie. On y trouve maintenant de nombreux groupes ethniques qui doivent apprendre à vivre ensemble. Peut-être cette situation aidera-t-elle les Aborigènes, « premiers Australiens », à se faire accepter comme citoyens à part entière.

Le meilleur de deux mondes ?
Les Aborigènes qui travaillent dans les fermes d'élevage sont plus heureux que ceux qui vivent dans les taudis des villes. Bons gardiens de troupeaux, travail qu'ils aiment, ils peuvent — pour de courtes périodes — retourner dans la brousse avec leur famille et maintenir ainsi le contact avec certains aspects de leur vie traditionnelle. Le fusil, toutefois, a remplacé le javelot.